D0296010

De verdwijntruc

Dolf Verroen & Bouke Oldenhof

De verdwijntruc

Met tekeningen van Jenny Bakker

Van Goor

'Jouw vader was toch goochelaar?'
De ogen van juf keken Sil aan.
De hele klas draaide zich naar haar om.
Sil merkte dat ze knikte.
'Goed. Dan speel jij de tovenaar
op de grote avond voor de ouders.'
Juf praatte maar door.
Haar mond ging steeds op en neer.
Ze gaf ieder kind een rol.
Marcel juichte. Hij werd de koning.
Thomas juichte ook.
Hij mocht de dienaar van de koning spelen.
De hele klas joelde en jubelde,
want Mijke werd de prinses.
Over drie weken was de grote avond.
Dan moest elke groep een toneelstuk spelen.
Iedereen deed mee.
Alle ouders zouden komen kijken.
Juf legde het spannend uit.
Het stuk ging over een ver land.
Alle mensen waren er blij.

Toen kwam er een gevaarlijk monster.
Dat eiste al het geld op.
Eerst wilde niemand zijn geld geven,
maar het monster begon te dreigen.
Als het geen geld kreeg,
at het de kinderen op.
Elke dag één.

De koning zei dat alle mensen
hun geld naar het paleis moesten brengen.
De koning gaf het geld aan het monster
in een grote, zware zak.
Het monster rende er snel mee weg.
Toen was iedereen arm
en niemand kon nog eten kopen.
De mensen hadden honger.
Ze gingen al bijna dood.
Was er iemand die hen kon redden?
Ja, de tovenaar!

Er kwam een tovenaar die geld kon toveren.

Iedereen kon weer eten kopen.

Maar toen kwam het monster terug.

Juf keek de klas rond.

'Wat gebeurt er dan?'

Mijke stak haar vinger op, Esther en Renate ook.

Juf gaf ze niet de beurt.

Ze zei: 'Dat vertel ik nog niet.

Dat blijft een verrassing.

Volgende week beginnen we met oefenen.

Jij mag zelf verzinnen hoe je geld tovert, Sil.

Ik ben benieuwd.

Prettig weekeinde allemaal.

Tot maandag.'

Sil was de laatste die haar jas aan had.

Hoe tover je nou geld?

Leefde papa nog maar.

Die had haar vast willen helpen.

Mama zei dat papa beroemd was.

Papa kon alles goochelen.

Sil drukte haar armen

zuchtend door de mouwen.

Waarom moest juf nou juist haar

de rol van tovenaar geven?

7

2

'Hee tovenaar,' riep Thomas,

'waar loop je aan te denken?'

'Hoe ze geld moet toveren natuurlijk,' zei Mijke.

'Kan je voor mij een tientje toveren?'

vroeg Renate.

'Ik ben hartstikke blut.'

Ze stonden in een groepje op het plein.

Sil had hen niet gezien.

Zo in gedachten was ze.

'Niemand weet wie het monster wordt,'

zei Esther.

'Juf natuurlijk,' zei Thomas,

'die hoeft zich niet eens te verkleden.'

'Of Koen met zijn natte zoen,' zei Mijke.

Koen stak zijn tong uit.

Hij vond het niet leuk dat ze hem zo noemden,

maar hij was er al zo aan gewend,

dat hij niet kwaad meer werd.

'Volgende week al oefenen,' mopperde hij.

'Juf lijkt wel gek.

Daar hebben we toch geen tijd voor.

We hebben volgende week ook schoolreisje.'

'Naar Amsterdam,' zei Thomas.

'Lekker spannend.'

'Naar twee museums,' mopperde Esther.

'Wat je spannend noemt.

Ik vind het saai.'

'Hee Sil,' zei Thomas aarzelend.

'Het is misschien een rotvraag,

maar jouw vader was toch een soort tovenaar,

weet je niet een paar trucs van hem?'

'Hou je mond,' siste Esther achter haar hand.

'Haar vader is pas een paar maanden dood.'

'Nou ja,' hakkelde Thomas onhandig,

'ze hoeft toch geen antwoord te geven.'

Sil keek of het haar niks kon schelen.

'Ik ken er wel een paar,' antwoordde ze,

'maar die zijn allemaal met kaarten.'

'Kan je bankbiljetten van maken,' zei Esther.

Op hetzelfde moment kwam juf naar buiten.

'Niet blijven hangen op de speelplaats,' zei ze.

'Jullie kennen de regels.'

'We hebben een belangrijke vergadering.

U mag ons niet storen,' zei Marcel.

'Ik mag alles, daar ben ik juf voor.

Opschieten en wegwezen.'

'Juf,' riep Koen met zijn natte zoen,

'daar staat uw vriend.'

'Die kale met die pukkels,' zei Esther.

Juf keek haar aan.

'Die heb ik allang niet meer.

Ik heb nu een kleine schele.

Naar huis allemaal en tot maandag.'

Sil liep in haar eentje naar huis.

Zoals altijd dacht ze aan haar vader.

Eigenlijk was hij nooit uit haar gedachten.

Soms moest ze ineens erg huilen.

Maar als ze aan zijn grappen dacht,

hoe hij een goocheltruc voor haar deed,

of aan tafel ineens de kaas wegtoverde,

moest ze soms een beetje lachen.

Hij kon dat zo leuk.

Maar hoe hij die trucs deed, wist ze niet.

Dat bleef een raadsel.

In de krant stond altijd dat hij razend knap was.

Zijn trucs waren ongelooflijk.

Vooral zijn verdwijntruc.

Opeens had ze een raar idee:

misschien had hij zichzelf laten verdwijnen.

Misschien was hij nog ergens.

Nee, dat kon niet.

Dood was dood.

Dan werd je begraven of gecremeerd.

Je kwam in de hemel of in de hel.

Of, zoals Thomas zei,

je bleef eeuwig slapen.

Je wist nergens meer van.

3

Net voor de regen begon te vallen
deed Sil de deur achter zich dicht.

Mama zat al klaar in haar stoel.

Sinds papa dood was, werkte mama niet meer.

Ze zei steeds dat ze moe was.

Toch, sinds papa's dood,
probeerde mama extra lief voor haar te zijn.

Ze was altijd thuis als Sil uit school kwam.

Ze had de limonade al ingeschonken.

Die stond in een groot glas met een rietje op tafel.

En er waren altijd koekjes.

Geen uitdeelzakjes meer zoals vroeger.

Papa was dol op koekjes in uitdeelzakjes.

Nu waren er koekjes uit een rol.

Als de rol pas open was

waren de koekjes het lekkerst.

Daarna werden ze taai.

'Waarom koop je nooit koekjes in een zakje?'

'Omdat ik tegenwoordig naar

de goedkope super ga

en daar heb je niet zo veel keus.'

'Maar bij Mijke en Koen hebben ze ze wel.'

Mama zuchtte en keek een beetje boos.

'Bij ons niet.

Het geld groeit me niet op de rug.'

Mokkend nam Sil toch maar een koekje.

Het was eigenlijk best lekker.

Mama keek nog steeds boos,

maar ze vroeg wel hoe het op school was.

'Mama, hoe moet je geld toveren?'

Mama keek opeens veel bozer.

'Wat zeg je?'

'Hoe moet je geld toveren.'

Even was het stil,

toen begon mama te schreeuwen.

'Hoe weet ik dat nou?

Hoe kun je zoiets nou vragen.

Je bent een vervelend, verwend kind.'

Sil draaide zich om en rende weg.

Boven, op haar kamertje,

plofte ze op haar bed.

Ze begreep er niets van.

Misschien was mama minder verdrietig dan zij,

omdat mama al groot was,

maar daarom hoefde ze toch niet zo te schreeuwen?

Er tikten een paar spatten regen

tegen het raam van haar kamer.

Toen werd er op de deur geklopt.

Mama kwam binnen.

'Ik moet niet zo tegen je schreeuwen.

Dat is niet lief van me.

Maar ik maak me zorgen, Sil.

Papa heeft altijd goed verdiend,

maar nu komt er geen cent meer binnen.

We hebben wel gespaard,

maar daar kun je niet eeuwig van leven.'

Sil probeerde het te begrijpen.

Het lukte niet.

Mama kon toch weer gaan werken?

Het was toch dom om thuis te blijven zitten?

Mama keek zo zielig.

En haar ogen zagen er zo raar uit.

Ze leken heel groot en nat.

Sil liep naar haar toe en gaf haar een zoen.

Mama begon meteen te huilen.

'Ik mis Alfred zo. Ik mis papa zo.

Waarom vraag je mij nu hoe je geld tovert?'

Sil legde alles uit.

Van de juf, het toneelstuk en haar rol.

Mama drukte Sil tegen zich aan.

'Ik heb je helemaal verkeerd begrepen.

En ik weet ook niet hoe je geld tovert.'

Mama wist niets van goochelen.

Papa wilde haar nooit iets vertellen.

'Goochelen is geheim,' zei hij altijd.

Supergeheim.

Mama haalde een sleutel uit haar broekzak.

'Dit is de sleutel van papa's goochelkast.

Misschien vind je daar iets.'

'Ga je mee?' vroeg Sil.

'Ik weet het niet,' zei mama.

'Mag ik er alleen heen?'

'Ik weet het allemaal niet meer.

Ik kan haast niet meer denken.'

Sil vond het naar dat mama zo snikte,

maar ze was blij dat mama papa ook miste.

Hoe had ze kunnen denken

dat het mama niets kon schelen?

Sil liep naar het raam om naar de sleutel te kijken.

Op dat moment brak de zon door de wolken.

De sleutel schitterde in de zonnestraal.

Durfde ze naar de goochelkast te gaan?

Of niet?

4

Opeens veranderde er iets in mama.

Ze werd weer gewoon mama van iedere dag.

Maar het duurde niet lang.

'Weet je waarom ik me soms zo opwind?

We hadden rijk kunnen zijn.

Schat – SCHATRIJK.

Nu moet ik iedere euro omdraaien

en dat was echt niet nodig geweest.'

Sil zei niets.

Ze vond het gek dat mama kwaad werd om geld

en niet omdat papa weg was.

Dood, begraven, helemaal weg.

Ze snapte er niets van.

Papa en mama hadden nooit ruzie,

zoals de ouders van Renate of Koen.

Ze waren altijd aardig voor elkaar.

Mama was nog steeds opgewonden.

Ze had grote blossen op haar wangen.

Van het huilen of van kwaadheid.

Sil wist het niet.

'Wat kan je dat geld nou schelen,' zei ze.

'Het gaat toch om papa.'

Mama hoorde haar niet.

Het was alsof ze in de verte keek.

Naar iets dat Sil niet kon zien.

'Hij had een verdwijntruc,' zei mama schor.

'Niemand wist hoe hij het deed.

Hij legde iets op een tafel,

een hoed, een bril, een sjaal,

het maakte niet uit.

Hij deed zijn truc en het verdween.

Het was weg en niemand begreep hoe.

En op een dag, Sil, op een dag...

O, hij had er jaren aan gewerkt,

op een dag verdween hij zelf.

Hij stond op het toneel,

hij deed zijn truc

en weg was hij.

Hij loste niet op in duisternis of mist,

nee, hij was ineens weg.

Alsof hij van de aarde was verdwenen.'

Ze zweeg even.

'Niemand snapte hoe het kon.

De knapste goochelaars van de wereld stonden paf.

Ze hebben hem kapitalen geboden, Sil.

Honderdduizenden.

Maar hij wilde zijn geheim niet kwijt.

Hij heeft het meegenomen in zijn graf.'

'Je bent toch niet boos om het geld?' vroeg Sil.

'Je zei altijd dat je niks om geld geeft.'

Haar moeder knikte.

'Dat is ook zo,' zei ze schor.

'Het geld kan me niet schelen,

maar dat ik niet weet hoe hij het deed.

Het was een wereldberoemde truc, Sil,

ik was er zo trots op.

En nu... Het is net of ik er niet bij hoor.

Of ik een vreemde voor hem was.

Nou ja, ik hoop dat hij nu gelukkig is.'

'Denk je dat?'

'O ja,' zei ze.

'Je vader was zo'n goed mens.

Ik weet zeker dat hij bij opa en oma

in de hemel is.

En daar zijn alle mensen gelukkig, Sil.'

5

Juf deed haar vest uit.

Ze stroopte de mouwen van haar bloes op.

Ze spuugde in haar handen.

'Een paar ouders bouwen het paleis op.

Goed dat jouw vader timmerman is, Thomas.'

Het groepje van Mijke en Renate

moest gaan staan.

Juf pakte hun tafels en stoelen

en zette ze op elkaar.

'Dit is de muur van het paleis.

Hier komt de poort waardoor je naar binnen kunt.

En dit is de stoel van de koning.

Hoe heet zo'n stoel?'

Koen stak zijn vinger op.

'Troon, juf.'

Juf pakte Koen bij zijn schouders

en zette hem op de troon.

'Dan word jij nu even koning.'

Esther moest heel hard brullen.

'Jij wordt het monster.

Je loopt door de zaal naar het paleis.

Toe maar. Lopen. Brullen.'
Esther was altijd een beetje verlegen,
maar nu brulde ze als een leeuw.
Zo hard, dat juf haar oren dicht deed.
'Geweldig,' riep ze. 'Het kon niet beter.'
Sil vond het een beetje stom.
Brullen is makkelijk.
Toen pakte juf Sil vast.
'In de zaal waar we spelen,
zit een luikje in de vloer.
We maken het heel echt, Sil.
Als het heel spannend wordt,
omdat iedereen in het land honger heeft,
gaat het luikje open en kom jij naar boven.

Je gaat geld toveren en iedereen redden.'

Sil knikte.

'Weet je al hoe je dat doet?'

Sil bewoog haar hoofd.

Heen en weer of op en neer,

ze wist het zelf niet.

'Je hoeft het niet voor te doen,

vertel alleen maar hoe het gaat.'

Sil wist niet wat ze moest zeggen.

Koen zei: 'Ze weet het niet, juf.'

En Thomas riep: 'Laat zien.

Anders geloof ik je niet.'

'Je vader was gewoon goochelaar,' zei Mijke,

'en goochelaars kunnen niet toveren.'

Daarna dreunde de hele klas:

'Geld toveren. Geld toveren.'

Sil voelde dat ze rood werd.

Ze wilde het liefst kunnen verdwijnen.

Juf legde haar arm om Sils schouders.

Ze zei iets, maar Sil hoorde niet wat.

Ze kneep in de sleutel in haar broekzak

en ze dacht aan wat mama verteld had.

Wist ze nou maar hoe die verdwijntruc ging.

Kon ze zichzelf weg toveren.

6

Mama zat alweer te wachten in haar stoel.
Op de tafel stond een groot glas limonade
voor Sil.
'Als je het niet kan,
dan kan je het niet,' zei mama.
'Ik zou ook geen geld kunnen toveren.
Wij hebben toch nooit leren goochelen.'
'Maar jij kent juf niet,' zuchtte Sil.
'Als die iets in haar hoofd heeft...'
'Dat mens is gek,' zei mama.
'Laat ze het zelf doen.'
Sil zei niets.
Ze dacht aan de kamer van papa.
Daar hing zijn goochelkostuum,
een zwart pak met een lange wijde cape.
Tegen de muur stond zijn goochelkast.
Daarin waren al zijn geheimen opgeborgen.
Misschien ook het geld-toveren-geheim.
Ze had de kast nog nooit opengemaakt.
Vroeger had ze er wel eens in gekeken.
Samen met papa.

In een laatje lagen drie balletjes.

Papa had er vier bij gegoocheld.

Sil had vreselijk moeten lachen,

maar ze had niet gezien hoe hij het deed.

Ze vroeg het aan mama.

Die zei: 'Ik weet het niet, kind.

Je vader was vreselijk knap.

Hij toverde een konijn uit een hoge hoed,

duiven uit een zakdoek

en een slinger vlaggetjes uit een krant.

Hij kon ook geld maken, hoor.

Hij liet iemand op het toneel komen.

Die gaf hem één euro.

Papa pakte die in papier

en haalde er even later drie uit.'

'Hoe deed hij dat dan?'

'"Met snelle vingers," zei hij altijd.

Er kwam altijd van alles uit zijn mouwen,

maar hoe het erin kwam,

ik weet het niet.'

'Zullen we naar zijn kamer gaan?' vroeg Sil.

'Als we in de goochelkast kijken,

komen we er misschien achter.'

'Nee,' antwoordde mama.

'Dat kan ik nog niet aan, Sil.
Misschien over een paar maanden.'
'Dan is het te laat,' zei Sil.
'Ik moet nu geld leren toveren.'

Mama zat zenuwachtig op haar stoel te schuiven.
'Je moet heel sterk aan hem denken,' zei ze,
'dan geeft hij misschien antwoord.'
'Hoe dan?'
'Dat kan ik je niet zeggen.
Dat weten ze daar in de hemel wel.'
'Hoe ziet de hemel er eigenlijk uit?'
'O,' zei mama opgetogen.
'Ze zeggen dat het daar zo mooi is, Sil.
Dat er overal bloemen bloeien.
Je weet wel, die zo heerlijk ruiken.
Het is er zo stil, dat je het water hoort kabbelen
en de vogels hoort zingen.
Er is geen luchtvervuiling
en geen lelijkheid.
Alles is er van goud en van zilver.
De lucht is vol engelen
en die zingen zo schitterend, Sil,
dat je er koud van wordt.
Er is geen ruzie, geen haat en nijd.
Er is vrede en vreugde.
Iedereen is er gelukkig.'
Sil gaf geen antwoord.
De hemel leek haar leuk.

Geen verdrietige mama,

geen strenge juf.

'Hè Sil,' zei mama,

'wil jij even aspirine gaan kopen?

Ze zijn op en ik ben bang dat ik

hoofdpijn krijg.'

'Nee hoor,' zei Sil,

'ik moet nog een heleboel doen.'

'Wat dan? Je kunt best even gaan.

Ik ben zo vreselijk moe.'

'Je moet niet zo zeuren,' zei Sil.

'Je kan best zelf.'

Ze was helemaal terug op de aarde.

7

Sil was alleen thuis.

Mama was zuchtend naar de drogist gegaan.

Sil dacht aan de goochelkast.

Ze haalde de sleutel uit haar broekzak.

Ze stond op en liep naar papa's kamer.

Opeens had ze de moed.

Ze deed de deur open en ging naar binnen.

Voetje voor voetje.

De goochelkast stond tegen de muur.

Ernaast hing papa's pak met de cape.

Sil stak haar hand uit en streelde de stof.

Die was koud en levenloos.

Of papa het pak nooit had gedragen.

Maar de goochelkast was anders,

het was of de glimmende deur haar aankeek.

Alsof hij zeggen wilde:

maak me maar open,

voor jou zijn er geen geheimen.

Sil slikte.

Ze voelde de sleutel in haar hand.

Het is een gewone sleutel, dacht ze.

En een gewone deur.

Ik ga het proberen.

Voorzichtig stak ze de sleutel in het slot.

Haar hart bonkte.

Ze draaide de sleutel om.

Er gebeurde niets.

De deur ging niet open.

Ze probeerde het nog eens.

De deur bleef dicht.

Alsof de geheimen verborgen moesten blijven.

Papa, help me nou.

Ik moet van juf geld toveren.

Als het niet lukt, wordt ze woedend,

dan gaat het hele toneelstuk mis.

Help me nou, help me nou.

Ze draaide de sleutel nog eens om.

Hij knarste in het slot.

De deur ging niet open.

En toen opeens, bewoog de cape.

Van het hangertje gleed hij op de grond.

Sil bleef verstijfd staan.

Kon een cape zomaar vallen?

Ze had hem niet aangeraakt.

Dat wist ze zeker.

Sil werd steenkoud van schrik.
Ze liep trillend de kamer uit.
Ze vergat de cape en de sleutel.
Ze dacht alleen aan papa.
Was hij dan toch nog op aarde?

8

En nu moest ze naar school.

Maar hoe kon je naar school gaan
als een gewoon meisje
als je zoiets beleefd had?

Mama had haar verteld,
dat dode mensen soms terugkwamen
om je te helpen.

Had papa haar een teken willen geven?

Met mama durfde ze er niet over te praten.

Die zou zeker weer gaan huilen.

Was papa nu wel of niet in de hemel?

Sil keek naar de stoep.

Daar lagen blauwe en grijze tegels.

Ze sprong op een blauwe tegel.

Blauwe tegels waren de hemel.

Mis!

Ze had half grijs half blauw gesprongen.

Wat wilde dat zeggen?

Ze sprong nog eens.

Haar voet op blauw.

Ze stond midden in de hemel!

Maar ze was niet tevreden.

Ze probeerde het nog eens.

Bijna botste ze tegen een man op.

Die sprong nog net op tijd opzij.

'Kan je niet uitkijken?'

'Nee,' snauwde Sil.

'Dat zie je toch?'

Weer midden in de hemel.

'Sil, Sil, wacht even!'

Ze draaide zich om.

Het was Koen met zijn natte zoen.

Hij kwam hijgend aan hollen.

Sil had geen zin in Koen.

'Ik heb geen tijd,' schreeuwde ze.

'Ik zie je straks wel.'

Oversteken.

Er kwam een auto aan.

Hij reed niet hard.

Het was beter om te wachten,

maar ze wilde niet wachten.

Als ze veilig aan de overkant kwam,

was papa in de hemel.

Ze begon te hollen.

Uit haar ooghoek zag ze de auto

op zich afkomen.

Hij reed harder dan ze gedacht had.

Ze moest keihard hollen.

Echt sprinten!

Vlak bij de stoep kwam hij op haar af.

Opeens wist ze dat hij haar zou raken.

Als ze werd aangereden,

kwam ze zelf in de hemel.

Dan zou ze papa terugzien.

O, wat zou dat prachtig zijn!

Het was net of alles ineens

heel langzaam ging.

Ze voelde de bumper tegen haar heup.

Het deed geen pijn.

Het was een raar dof gevoel.

Toen wist ze niets meer.

9

Sil werd wakker.
Ze had een gevoel of ze omhoog ging.
Ze deed haar ogen open.
Ze zweefde hoog boven de straat.
Ze zag zichzelf liggen op de straatstenen.
Opeens stroomden de mensen toe
en Koen met zijn natte zoen gilde:
'Sil, Sil, SIL!'
Maar Sil kon hem niet bereiken.
Ze steeg hoger en hoger.
De stad werd kleiner en kleiner.
Toch was ze niet bang.
Ze had een gevoel of het zo hoorde.
Na een tijdje was ze zo hoog,
dat de aarde net een bolletje brood leek.
Ze kwam bij het wolkendek.
De wolken zagen eruit als watten,
maar het waren grijze flarden vocht.
Sil vloog er als een vogel doorheen.
Ze snapte niet hoe het kon,
maar ze bleef kurkdroog.

Het was stil in de lucht.

Tot ze heel zacht hoorde zingen.

Dat moesten de engelen zijn!

Ze keek om zich heen.

Alles was grijs.

Net een dichte mist.

Het gezang werd luider.

Het was wel mooi, vond Sil,

maar ze werd er niet koud van zoals mama.

Het leek op het zingen van groep vier.

Na een tijdje hoorde ze niets meer.

In doodse stilte steeg ze verder.

Tot ze opeens voor een poort stond.

Hij zal wel opengaan, dacht Sil.

Maar hij bleef dicht.

Ze wist niet wat ze doen moest.

Voor het eerst was ze een beetje,

een heel klein beetje bang.

10

Sil duwde tegen de deur.

Hij ging niet open.

Ze deed een paar passen achteruit.

Ze dacht aan de tv-films die ze had gezien.

Daarin wierpen mannen zich tegen de deur,

zodat het hout versplinterde.

Zo sterk was ze niet.

Dat zou nooit lukken.

Ze keek omhoog.

Toen pas zag ze de letters:

WIE KLOPT ZAL WORDEN OPENGEDAAN

Eronder hing een ijzeren klopper

in de vorm van een vis.

Ze kon er net bij.

Driftig liet ze de staart op het hout vallen.

Wel zes keer achter elkaar.

De deur ging open.

In de opening stond een jonge man.

Hij droeg een gouden spijkerbroek

met een felgeel T-shirt.

Hij had een hoofd vol blonde krullen

en een klein brilletje op een grote neus.

'Kan het wat rustiger,' zei hij kwaad.

'Weet je wel waar je bent?'

'Nee,' zei Sil, 'eigenlijk niet.'

'Je staat hier voor de hemelpoort.

Ik ben Petrus en ik moet je binnenlaten.'

Sil deed een stap naar voren,

maar hij hield haar meteen tegen.

'Jij bent toch Sil van de goochelaar?'

Ze knikte.

'Je bent een vervelend kind.

Lastig op school, brutaal tegen je moeder...'

'Ik brutaal?' vroeg Sil verbaasd.

'Vind je het soms gewoon om tegen je moeder

te zeggen dat ze zeurt?

Vind je het aardig om geen aspirine voor haar

te halen als ze hoofdpijn heeft?'

Sil zei niets.

Ze vond het eigenlijk
doodgewoon.

'Als ik in die brutale ogen
van je kijk,' zei Petrus,
'voel ik er niks voor om je
binnen te laten.'

'Maar ik heb geklopt,' zei Sil,
'en daar staat...'

'Ja, ja,' zei Petrus nijdig,
'schiet maar op.'

Ze glipte langs hem heen, de hemel in.

Na een paar stappen zag ze opa en oma.

'Petrus had ons al gewaarschuwd,' zei opa,

'wij komen je halen.'

'Dat hoort zo,' zei oma.

'Ik ben gehaald door opa.

Die was hier een jaar eerder.'

Sil keek om zich heen.

Ze stond in een kamer met hoge, kale muren.

Tegenover haar was een brede, hoge deur.

'Dit is het voorportaal,' zei opa.
'Straks gaan we deze deur door
en dan komen we
in de hemel.
Het is daar zo mooi,
zo prachtig, Sil.'
'En zo schoon,'
zei oma stralend.
'Ik mag de hele dag wassen, Sil.
Opa krijgt ieder uur
een schoon overhemd.'
'En ik ben de hele dag
in mijn tuintje bezig.
Je weet, ik ben dol op spitten.'
Sil keek niet erg vrolijk.
Ze hield niet van wassen
en niet van spitten.
'Kom maar mee,' zei opa,
'dan kun je het zelf zien.'
Hij liep langzaam op de deur af
en deed hem open.

11

Het was er allemaal.
Niet alleen goud en zilver,
alle kleuren,
wonderbaarlijke vormen.
Sil wist niet waar ze kijken moest.
Ze probeerde na te denken,
maar dat lukte niet.
Haar hoofd was totaal leeg,
net als op school.
Toch deed ze erg haar best.
Wat moest dit voorstellen?
Toe nou, denk even goed na.
Ja, ja.
De hemel.
De hemel dus.
'Sil, Sil, Sil!'
De stem van oma.
'Ben je daar?
Prachtig hè?'
De trots straalde uit haar ogen.
Pas nu zag Sil waar ze was.

Ze zag overal heuvels.

Mooie groene, glooiende heuvels vol bloemen.

Vooral veel gele,

maar als je beter keek,

zag je ook paarse en blauwe en rode.

Zelfs bruine, zwarte, lichtgroene en gouden.

In de blauwe lucht dreven wolken voorbij.

Onder Sils voeten begon iets te rommelen.

Het kriebelde.

Sil moest ervan giechelen.

Opeens kwam er een gouden toeter omhoog.

Ze kon hem bijna aanraken.

'Welkom, Sil, welkom.'

De woorden zweefden door de ruimte.

Daarna een lichtflits en een knal.

Weg was de toeter.

Wat een prachtige verdwijntruc!

Wie zou die bedacht hebben?

Sil vond de hemel mooi en spannend.

Mijke zei dat de hemel niet bestond.

Die wist altijd alles beter.

Maar nu had Sil hem zelf gezien.

Mijke zou hem ook eens moeten zien.

En mama en papa... papa?

12

'Oma, is papa hier ook?' vroeg Sil.

Oma gaf niet meteen antwoord.

'Eh... eh...'

Daarna niets meer.

'Ik weet zeker dat papa in de hemel is.

Papa was zo lief.

Mama zegt het ook.'

Oma zei nog niets.

'Ik wil naar hem toe,' zei Sil koppig.

'Weet u waar hij is?'

Oma frunnikte zenuwachtig aan haar zakdoek.

Sil keek naar opa.

'Ik moet eigenlijk gaan spitten, Sil.'

'Eerst zeggen waar papa is.'

Sil kreeg een vreselijk voorgevoel:

misschien was haar vader nergens,

niet op aarde en niet in de hemel.

'Tja,' zei opa eindelijk,

'ik zal het je maar eerlijk zeggen:

ik weet het niet.'

'Hebt u hem dan niet gezien?'

'Ja,' antwoordde opa.

'We stonden na zijn dood op hem te wachten.

We wilden hem vertellen dat hij in de hemel was,

dat wij hem de weg wilden wijzen.

Hij liep op ons toe,

hij zei iets

en ineens was hij verdwenen.

We riepen nog,

maar we hoorden of zagen niets meer.

We hebben hem nooit teruggezien.'

'Nooit!' zei oma.

'En we hadden zo ons best gedaan

om hem hartelijk te ontvangen.

Het was weer net als vroeger op aarde:

altijd weer die verdwijntruc.

Ik vond het een vreselijke truc,

zo eng, Sil,

maar daar trok hij zich niets van aan.

Ik heb zo vaak tegen je moeder gezegd:

niet met een goochelaar trouwen,

neem liever een gewone man,

die verdwijnt niet.'

'Nou...' zei Sil

en ze dacht aan de vaders van Marcel,

van Joris, van Mijke, van Thomas,
die er allemaal vandoor waren gegaan.
'Alfred hield veel van zijn werk,' zei opa.
'Daar heb ik waardering voor.'
Oma zei niets.
Sil wist niet zo gauw wat ze doen moest,
maar opa bracht de oplossing.
'We gaan hem samen zoeken, Sil.'
'Je wilde toch gaan spitten?' vroeg oma.
'Dat doe ik later wel.'
'Maar ik ga wassen,' zei oma.
Ze draaide zich om en liep weg.

13

'Kijk, daar op die heuvel.'

Opa wees in de verte.

Sil zag iets schitteren in het licht.

'Daar moeten we heen.'

Opa begon te lopen.

Sil kwam achter hem aan.

Ze was blij dat opa haar wilde helpen.

De schittering was een paal.

Een lange gouden paal.

Hij stond midden op een kruispunt.

Er hingen vier bordjes aan,

voor de vier kanten die je op kon.

'Begin-Einde,' las Sil op het bovenste bord.

Ze keek naar het bord eronder.

Daar stond hetzelfde op.

Net als op de twee andere borden.

Sil snapte er niets van.

'Waar is papa, opa?

Waar moeten we heen?'

'We zien wel waar we uitkomen,' lachte opa.

Ze kozen een mooie rode weg.

In het midden lag een stippellijn.

Soms waren er zijwegen.

Dan stonden er pijlen op de weg.

Sil merkte nu pas dat ze niet gewoon liep.

Het was net of ze een beetje zweefde.

'In de hemel kun je niet lopen,' zei opa,

'daar zweef je.'

Het was waar.

'Word je daar niet moe van, opa?'

'In de hemel is niemand moe,' zei opa.

'Hoe oud je ook bent.'

Ze volgden de pijlen.

Na een tijdje kwamen ze bij een kruispunt.

Weer een gouden paal.

Of was het dezelfde?

Opeens zag Sil in de verte oma staan.

Ze zwaaide met een sneeuwwit overhemd.

Opa deed net of hij het niet zag.

'Ooo!' zei Sil.

'Grapje,' grinnikte opa.

'Daarvan kom je niet in de hel, hoor.'

Hij sloeg een zijweg in, een groene.

Daarna namen ze een blauwe weg.

'Net mens-erger-je-niet,' zei Sil.

Maar daar was opa het niet mee eens.
'In de hemel erger je je niet,' zei hij.
'Hier is iedereen blij en gelukkig.'
Ze liepen en liepen,
maar haar vader was en bleef weg.

14

Er kwam iemand aan.

Hij zweefde met grote sprongen over de weg.

Dichtbij zag Sil dat hij jong was,

maar een paar jaar ouder dan zijzelf.

'Ik zoek mijn vader,' riep ze.

'Heb jij hem soms gezien?'

'Nee,' zei de jongen.

'Ik kijk alleen naar meisjes.

Ik wil je best helpen zoeken, hoor.'

Daar wilde opa niets van weten.

Ze zweefden verder.

Er kwam een oude man aan.

Hij keek zo streng,

dat Sil hem eigenlijk niets durfde vragen.

Ze deed het toch.

Voor papa had ze alles over.

'Meneer, heeft u mijn vader gezien?'

'Hoe ziet hij eruit?'

Sil moest even nadenken.

'Mooi haar, grappige neus en een lieve mond.'

De ogen van de man lachten.

'Dat heb ik allemaal. Ben ik dus je vader.'

Sil vond het geen leuke grap.

'Nee!' zei ze, net iets te hard.

De man vond haar blijkbaar niet brutaal.

Hij liep naar een vrouw die van een zijweg kwam.

Hij begon met haar te praten

en wees op Sil en opa.

De vrouw kwam naar Sil toe.

Ze zag er stralend uit.

'Hoe oud is je vader?

Wat deed hij vroeger?'

'Vroeger?'

'Toen hij nog niet dood was.'

'Goochelaar,' antwoordde Sil.

Ze schudde haar hoofd.

'Ik ken geen goochelaar.

Weet je zeker dat hij in de hemel is?'

Sil wist het zeker.

Opeens zagen ze een groep engelen.

'Kennen jullie haar vader?

Hij was vroeger goochelaar.'

De grootste engel zweefde naar Sil.

'Hoe kunnen we je vader herkennen?

Wat kan hij goed?'

Sil was even verrast door die vraag.

'Hij kan heel goed verdwijnen.'

Er kwamen van alle kanten mensen.

Ze praatten allemaal door elkaar

en ze wilden allemaal helpen.

Er zweefde een baby door de lucht

op witte doorzichtige vleugels.

De mensen zwaaiden.

Ze dachten niet meer aan papa.

De baby keek naar Sil

en zweefde verder.

Sil had het gevoel dat ze haar moesten volgen.

Ze wist niet waarom.

'Kom opa,' riep ze. 'Kom.'

Ze weken van de weg af.

Het kleine meisje achterna.

Zelfs opa kon hard zweven.

Hij hijgde niet eens.

'Ik denk dat we papa vinden,' riep Sil.

'Ik voel het, opa.'

De hemel werd mooier en mooier.

En plotseling hoorden ze iets.

Een hemels zingen.

Sil werd steenkoud.

Er glibberde een rilling over haar rug.

Zo prachtig, zo onaards klonk het zingen.

Sil pakte opa's hand vast.

Stijf vast.

15

Ze wisten niet hoe,

maar opeens werden ze omringd

door kinderen.

Ze waren in het wit gekleed.

Ze stonden roerloos bij elkaar

en zongen zonder ophouden.

Hun stemmen klonken als één stralende stem.

Ik ben zo gelukkig, zongen ze.

Zo gelukkig, zo verschrikkelijk gelukkig.

Eerst vond Sil het erg mooi,

ook al was het steeds hetzelfde.

Na een tijdje vond ze het saai.

En het werd steeds, steeds saaier.

Ze moest gapen, maar dat durfde ze niet.

Opeens stootte opa haar aan.

'Vervelend, hè?' zei hij zachtjes.

'Hier moet ik echt een wind van laten.

Kom mee, Sil.'

Ze probeerden stiekem weg te komen.

De kinderen merkten het niet eens,

die zongen gewoon door.

Eindelijk stonden ze buiten.

'Het zal wel mooi zijn,' zei opa,

'maar ik krijg er de kriebels van.'

Ze zweefden weg,

de ruimte in.

Er waren nergens wolken,

wel zilveren sterretjes,

die zachtjes door de lucht cirkelden.

Ze zagen geen mens.

'Zo vinden we papa nooit,' zei Sil.

'Wat moeten we doen, opa?'

Die kon geen antwoord vinden.

Op het eind van de weg stond oma.

Ze zwaaide en schreeuwde:

'Kom alsjeblieft thuis, schat,

je moet een schoon hemd aan,

dan kan ik weer wassen!'

Opa moest wel.

Hij wilde Sil meetrekken,

maar ze liet zijn hand los.

'Nee opa!

Ik moet papa zoeken.

Ik zal hem vinden.'

'Dat lukt je vast,' zei opa stralend.

'Je bent geweldig, Sil.'

Ze ging alleen verder.

Ze zweefde in het wilde weg,

over bloemen, planten, kruispunten.

Ze kwam wel mensen tegen,

maar die hadden papa nooit gezien.

Opeens kwam er een vreselijke gedachte

in Sil op:

zou hij soms in de hel zijn?

Kon je in de hel komen,

omdat je de verdwijntruc kende?

Dan wilde ze liever naar de hel!

Het was of iemand haar gedachten raadde.

Het werd donker.

Ze kon niets, niets meer zien.

Haar voeten werden zwaar.

Ze kon bijna niet meer lopen.

Opeens sprong de gouden toeter uit de grond.

'Alsjeblieft,' zei een stem.

'Je krijgt wat je hebben wilt.'

16

Ze liep door een lange donkere tunnel.

Het was er griezelig stil.

Ze kon haar voeten haast niet

van de grond krijgen.

Het was alsof ze werden vastgehouden

door een magneet.

De tunnel was vochtig en slijmerig.

Aan het eind, heel in de verte, zag Sil licht.

Een donkergrijs, grauw licht.

Alsof de zon was verduisterd.

Ze sjokte naar het eind van de tunnel.

Ze stond buiten en keek om zich heen.

De bomen, de bloemen, de planten,

zwart, pikzwart.

Het gras was grauwgrijs.
Sil wilde terug naar de hemel,
maar ze kon niet terug.
Het was of ze werd voortgeduwd.
De weg lag vol scherpe kiezels.
Ze kon haast niet lopen van de pijn.
Opeens doemde er een gebouw op.
Uit de deur stak een hand,
die haar naar binnen trok.
Ze liep een klas in,
heel anders dan haar eigen klas.
Er stonden geen tafeltjes,
maar ijzeren banken.
De meester stond voor het bord.
'Spijbelaar,' schreeuwde hij.
'Ben je daar eindelijk?
Ga daar zitten.
DAAR!
Ik ga verder met aardrijkskunde.'
Sil schoof in de bank.
Het meisje naast haar moest lachen.
Ze kneep in haar arm.
Een ander gaf een ruk aan haar haar.
'Au!' schreeuwde Sil.

De meester zei niets.

Hij schoof zijn stok over een kaart

en wees de aarde aan.

'Wie kan mij zeggen wat dit is?'

Hij wees een lang dun meisje aan.

'Kom jij maar eens hier.'

Ze liep langzaam naar voren.

Ze ging achter de meester staan

en gaf hem een schop tegen zijn scheen.

De meester liet zijn stok vallen,

greep zijn pijnlijke been vast

en danste op zijn andere been in het rond.

Het meisje liep terug naar haar plaats.

Onderweg wees ze op haar schoen.

'Zit een ijzeren punt aan,' zei ze trots.

De meester stond weer op twee benen.

'Smerig tuig,' zei hij schor.

'Ik krijg jullie nog wel.

Straks allemaal nablijven

en dat zal flink pijn doen,

dat beloof ik jullie.'

Hij ging verder met de les.

Een jongen op de derde rij begon te fluiten.

'Vinger opsteken.

Anders kom je niet aan de beurt.'

De jongen stak zijn vinger op.

'U hebt een heel dom gezicht, meester.

Weet u dat eigenlijk wel?'

De meester probeerde kalm te blijven.

'Ik snap,' zei hij, 'waarom ze jou op aarde

een koppie kleiner hebben gemaakt.'

Een paar jongens vouwden papieren vliegtuigjes,

stopten er een ijzeren pijltje in

en begonnen te gooien.

De meester kreeg er een in zijn wang.

De klas lag dubbel.

'Ach, u bloedt,' zei een meisje.

Ze had echt medelijden met de meester.

'Slijmbal,' schreeuwde haar buurvrouw.

'Zullen we haar even in elkaar rammen, jongens?'

Alle kinderen vlogen uit hun bank.

'Slijmbal!' schreeuwden ze. 'Slijmbal!'

In de chaos die ontstond,

rende Sil de klas uit,

de gang door, het gebouw uit.

Ze holde tot ze niet meer kon.

Toen ze er zeker van was

dat ze niet werd gevolgd,

bleef ze onder een zwarte boom staan.

Kon ik maar terug, dacht ze.

Hier kon papa toch niet zijn?

Ze hoorde zacht tikken.

Uit de boom vielen zwarte kleverige druppels.

Als torren tripten ze over de grond.

Ze holde verder.

Na een paar kilometer zag ze een huis.

Bij de voordeur stond een vrouw.

'Dag kindlief,' zei ze. 'Waar ga je heen?'

'Ik weet het niet,' antwoordde Sil,

'ik zoek mijn vader.'

'Je vader! Wie heeft er nou een vader.'

'Hij is goochelaar,' zei Sil. 'Hij…'

'Ik ben een heks,' zei de vrouw.

'Ik kan gif mengen,

op een bezemsteel vliegen

en kindertjes koken.

Goochelen kan ik niet.

Maar toveren wel. Ik zal jou eens even…'

Sil rende weg.

Ze struikelde bijna over haar eigen voeten.

Ze was bang dat de heks haar

op haar bezemsteel achterna zou komen.

Maar er gebeurde niets.

Buiten adem bleef ze staan.

Wat moest ze doen?

Hoe kon ze ooit haar vader vinden?

Uit het struikgewas klonk schel gelach.

Er kwam een mannetje te voorschijn.

Hij pakte haar schouder en kneep.

'Pik, ik heb je,'

schreeuwde hij.

'BINGO!'

17

Hij was niet groter dan Sil.

Hij had een lange baard.

In zijn rode handen had hij een zwarte bol.

Hij keek Sil met paarse ogen aan.

'We gaan bingo spelen,' zei hij.

'Weet je wat dat is?'

Sil deed net of ze niet bang was.

'Ja hoor,' antwoordde ze luid,

'dat deed mijn oma bijna elke dag.'

'Maar niet met een bol,' zei hij.

Nee, dacht Sil,

zo stom was oma nu ook weer niet.

'Op aarde moet je winnen,'

giechelde het mannetje,

'en hier ook!'

Hij lachte met een raar hoog stemmetje.

Toch klonk het dreigend, beangstigend.

'Als je wint, vind je je vader,' vervolgde hij.

'Maar als je verliest...'

Zijn ogen begonnen zo te glimmen,

dat ze vuurrood werden.

'Ik win,' zei Sil.

'Dat zullen we nog wel eens zien.'

Hij gaf haar een kaart,

stak zijn hand in de bol

en haalde er een muntje uit.

'Nummer dertien. Voor mij.'

Hij legde het muntje op de kaart.

Op nummer dertien, zag Sil.

Zijn hand verdween weer in de bol.

'Zeven. Ook weer voor mij.'

Hij begon heel schel te lachen.

'Jij hebt nog niks, hè?

Dat ziet er niet goed voor je uit.'

Hij lachte zo eng, dat Sil huiverde.

Daarna legde hij nog drie nummers

op de kaart.

'Nu ben ik,' schreeuwde Sil.

'Niet waar! Ik was eerst!'

Sil probeerde haar hand in de bol te steken.

Het mannetje werd bruin van boosheid,

zijn ogen schoten vuur, echt vuur.

'Afblijven!'

Sil werd doodsbang.

Eerst trok hij aan haar haar,

toen kneep hij hard in haar wang.

Sil werd woedend.

Ze vergat haar angst.

Ze griste de bol uit zijn handen

en rende weg.

Het mannetje werd rood van schrik.

'Geef terug! Geef terug!'

Sil rende door, zo hard ze kon..

Een eind verder keek ze om.

Het mannetje stond nog op dezelfde plaats.

Hij probeerde weg te rennen,

maar hij stond als vastgenageld aan de grond.

Uit zijn benen groeiden lange draden.

Ze groeven zich als wortels in de grond.

Sil was zo blij dat ze haar tong uitstak

en een lange neus maakte.

Het was of ze haar moeder hoorde:

'Maar Sil, zoiets doet een meisje toch niet.'

Ik doe het lekker wel, dacht Sil.

Ik zal papa vinden.

18

Opeens zat ze op een harde stenen vloer.

Haar rug tegen een muurtje.

Alles om haar heen was grijs, zonder kleur.

Hoe ben ik hier gekomen? dacht ze.

Voor haar gevoel had ze dagen niet gegeten.

Toch had ze geen honger.

Ze hoefde ook geen plas.

Dat kwam goed uit,

want er was nergens een wc.

Ze dacht aan het enge mannetje.

Ze luisterde, maar hoorde niets.

Hij was en hij bleef weg.

Net als haar vader.

Waarom liet hij zich niet zien?

Zou papa niet weten waar ze was?

Had ze niet goed gezocht soms?

Ze keek om zich heen.

Ze keek achter het muurtje.

Ze tuurde in de verte.

Een schim. Iemand met een hoge hoed op.

Was dat papa?

Sil voelde hoe ze roerloos werd.

Ja, het was papa!

Hij had zijn lange zwierige cape aan.

'Papa!' schreeuwde ze. 'Papa!'

Hij hoorde niets.

Ze schreeuwde nog harder.

Maar de ruimte was enorm

en haar stem klein, veel te klein.

Hij kon haar niet horen.

Opeens nam hij zijn hoge hoed af.

Hij zwaaide ermee, tweemaal, driemaal.

Toen wees hij naar beneden.

Beneden was de aarde,

haar huis, haar moeder, de school.

'Papa!' riep ze.

Hij werd steeds vager

en opeens was hij verdwenen.

Alles om haar heen werd grijs,

alsof er een dichte mist hing.

Papa had willen zeggen

dat ze terug naar huis, naar school, moest.

Maar hoe moest het dan op de grote avond?

Hoe moest ze geld voor de armen toveren?

Ze draaide zich om.

Zwart, zwart, alles zwart.

Ze wilde roepen, maar ze kon niet.

Opeens bewoog de grond.

Stamp stamp stamp.

Het mannetje was vlak bij haar.

Hij was niet klein meer,

maar groot, breed en zwaar.

Hij had blote behaarde armen

en bolle ontzaglijke spierballen.

'Hier is de winnaar,' siste hij.

'Je bent van mij.'

19

Sil voelde haar hart bonzen,
haar handen trillen
en haar knieën knikken.
'Papa!' schreeuwde ze. 'Papa!'
Het mannetje stak zijn hand uit.
Zijn vingers leken op scharen
met lange uitgegroeide nagels.
Zijn ogen verschoten van kleur.
Van paars naar groen,
van groen naar rood.
Hij deed zijn mond open en lachte.
Hij had lange dunne tanden
met scherpe punten er aan.
Hij stak zijn hand uit.
'Lekker ding,' zei hij,
'kom maar gauw hier,
dan grijp ik je.'
Sil kon niets zeggen,
alsof haar mond vol papier zat.
Ze gaf een raar, rochelend geluid.
Hij schaterde.

De verdwijntruc, dacht Sil radeloos.

Waar was papa met zijn verdwijntruc?

Ze probeerde het zelf.

Heel sterk denken.

Denken, denken, denken.

Ze verdween niet.

'Kom hier,' zei hij.

'Ik zal je krijgen, kreng.'

Opeens was ze los van de grond.

Ze draaide zich om en holde weg.

Hij kwam haar achterna en struikelde.

Vlug, vlug, vlug.

Vlak bij haar was opeens een afgrond.

En nergens, nergens een zijweg.

Achter zich hoorde ze zijn voetstappen.

Ze kwamen steeds dichterbij.

Sil moest de afgrond in.

Ze kon niet anders.

Ze deed haar ogen dicht en viel.

Het ging verschrikkelijk snel.

Ik val in het vuur, dacht ze.

Het was of ze de vlammen voelde,

of ze het hulpgeroep van mensen kon horen.

'Sil, Sil, SIL.'

Ze deed haar ogen open.

Ze lag op straat.

Koen met zijn natte zoen gilde.

Zijn gezicht was wit van schrik.

Sil zag de auto en wist weer alles.

'Ik geloof dat ik even weg was,' zei ze.

'Weg!' riep Koen in paniek.

'Je was hartstikke bewusteloos.'

Sil voelde zich een beetje raar,

maar ze had nergens pijn.

Ze probeerde op te staan.

'Voorzichtig!' riep een meneer.

'Je kan wel wat gebroken hebben!'

Er stonden wel tien mensen om haar heen.

Sil kroop overeind.

'Ik heb echt niks,' zei ze. 'Kijk maar.'

Ze bewoog haar armen en benen.

De mevrouw die haar had aangereden

droogde haar tranen.

'Ik ben zo geschrokken,' zei ze trillend.

'En ik kon er niets aan doen.'

'Wel waar!' schreeuwde iemand.

'U reed veel te hard.'

'Het was mijn eigen schuld,' zei Sil.

'Ik stak zomaar over.

Ik dacht dat ik het wel halen kon.'

Niemand luisterde.

Iedereen praatte door elkaar.

Koen en Sil gingen er vandoor.

'Ik breng je naar huis,' zei Koen.

Maar Sil wilde naar school.

'En niks zeggen,' zei ze dreigend.

Koen met zijn natte zoen begon te stotteren.

'Maar wie weet wat je hebt.

Ik zag het gebeuren, Sil.

Ik ben zo geschrokken.'

Het was of Sil de aanrijding nog voelde,

een zachte duw tegen haar heup

en verder niks, niks.

'Als je het vertelt, kijk ik je nooit meer aan.

Ik wil ook niet samen het schoolplein op.'

Hij deed aarzelend wat ze zei.

Hij bleef een eind achter haar

en Sil was het eerst op het schoolplein.

Bij het fietsenhok stonden kinderen uit haar klas.

Marcel zag haar het eerst.

Hij zwaaide.

'Sil, Sil, kom eens gauw!'

'We hebben wat gehoord...' zei Mijke opgewonden.

'Juf heeft een tatoeage,' vertelde Thomas.

'Een arend,' zei Renate.

'Op haar kont,' vulde Joris aan.

'Marcel heeft het gehoord van een jongen.

En die hoorde het de meester vertellen aan...'

Op hetzelfde ogenblik ging de bel.

Met veel lawaai stormden ze de klas in.

Juf schreef sommen op het bord.

'Kan het wat rustiger?'

'Juf,' riep Mijke, 'hebt u een tatoeage?'

Juf draaide zich om.

'Waarom wil je dat weten?'

'We willen hem zien!' riep Joris.

'Dat is goed,' zei juf.

'Als jullie goed gespeeld hebben

op de grote avond voor de ouders

laat ik hem zien.'

Het werd doodstil in de klas.

'Echt waar?' vroeg Thomas ongelovig.

'Echt waar,' antwoordde juf.

'Als ik tevreden ben tenminste.

Anders niet.

En nu aan het werk.'

20

Mama zat al klaar in haar stoel.

Op de tafel stond een groot glas limonade.

Mama was het rietje vergeten.

Ze zag er moe uit.

'Hoe was het op school?

Nog iets bijzonders?'

'Nee hoor,' zei Sil, 'niks bijzonders.'

Ze zei niet dat ze pijn in haar rug had

en een blauwe plek op haar been.

'Ik ben moe,' zei mama,

vind je het erg als ik even ga liggen?'

Sil schudde haar hoofd.

Ze wilde in papa's goochelkast kijken

en daar had ze geen hulp bij nodig.

Mama ging de kamer uit.

Sil wachtte tot mama was gaan liggen.

Toen ging ze naar papa's kamer.

Het was er heel stil en leeg.

Anders leeg dan een kamer zonder mensen.

Of de kamer wist dat papa dood was.

De cape lag nog steeds op de grond.

Ze wilde hem oprapen,

maar ze durfde niet.

Ze keek naar de zwarte goochelkast.

De sleutel stak nog steeds in het slot.

Dat durfde ze wel.

Ze draaide hem langzaam om.

De deur ging open.

Laden, deurtjes, vakken.

Ze begon te zoeken.

Ze moest papa's geheim vinden.

Ze vond het niet.

Ze vond de hoge hoed,

de witte balletjes,

een slinger gekleurde vlaggetjes,

de stok met de zilveren knop,

het witte konijntje

en wel drie spellen kaarten.

Ze zag papa opeens voor zich.

Hoe hij op het toneel stond.

Hoe hij de vlaggetjes uit zijn mouw toverde,

één van de balletjes liet verdwijnen.

Hoe hij een duif uit zijn hoed goochelde

en het konijn uit een lege doos haalde.

Hoe hij een horloge kapotsloeg

en het heel te voorschijn haalde.

Plotseling zag ze in de kast een doosje staan.

Een doodgewoon, roodgelakt doosje.

Sil's hart begon te bonken.

Dit doosje had papa laten verdwijnen.

Sil had het zelf gezien.

Ze zat toen op de eerste rij in de zaal.

Papa stond op het toneel.

Hij haalde het doosje uit zijn goochelkast

en zette het op een zuiltje.

Het werd doodstil in de zaal.

De mensen hielden hun adem in.

Sil had gezien dat het doosje verdween:

haar vader keek ernaar

en...

weg was het.

Zat het geheim soms in dit doosje?

Ze stak haar hand uit,

maar ze durfde het niet te pakken.

Toen dacht ze aan haar rol.

Ze moest geld leren toveren

en papa kon het haar leren.
Maar papa was dood.
Ze kon hem niets meer vragen.
Opeens durfde ze het.
Ze stak haar hand uit
en nam het doosje uit de kast.
Ze haalde diep adem
en hield het stevig vast.
Verdwijn, zei ze in gedachten.
Verdwijn, verdwijn...
Het doosje verdween niet.
Sil zette het terug in de kast.
Het werd opeens een gewoon doosje,
een doodgewoon roodgeverfd doosje.
Ze deed de deur van de kast dicht
en sloot hem af.
Ze liep de kamer uit, de gang in.
Bij de voordeur lag een envelop.
Haar naam stond er met grote letters op.
Nieuwsgierig scheurde ze hem open.
Er kwam een vel papier uit.
Een tekening van een hart met een pijl er door
en twee woorden:

Sil en Koen.

Eronder een groot vraagteken.

Sil bloosde ervan.

Ze liep naar haar kamertje

en legde de tekening op haar tafel.

Ze keek naar het vraagteken.

Ja, dacht ze. JA!

Toen: nee.

Al dat gepest op school.

Ze hoorde ze al roepen:

Koen geef Sil een zoen.

Zo'n lekkere natte.

Daar had ze geen zin in.

De volgende ochtend ging ze naar school.

En ja hoor:

bij school stond hij te wachten.

Sil wist niet wat ze doen moest.

Maar Koen wel: hij lachte

en Sil lachte terug.

Ze liepen samen het schoolplein op.

Joris vloog op hen af:

'We gaan morgen repeteren,' riep hij,

'juf heeft het net gezegd!'

21

Sil vond de ochtend eindeloos duren.

Ze moest steeds gapen.

'Verveel je je?' vroeg juf na de derde keer,

'of ben je te laat naar bed gegaan?'

'Nee,' zei ze kortaf.

Het klonk bijna kwaad.

Om twaalf uur liep ze snel naar buiten.

Ze wilde met niemand praten.

Na een tijdje haalde Koen haar in.

Ze liepen langs de plek van de aanrijding.

'Ik zag het gebeuren,' zei hij schor.

'Ik dacht dat je dood was.'

'O, nee hoor.

Onkruid vergaat niet, zei papa altijd.'

'Iedereen zag dat je bewusteloos was.

Was het eng? Wat voelde je?'

'De auto kwam tegen me aan.

Daarna werd ik wakker.

Meer weet ik niet.'

Het was niet waar.

Opeens begon ze zich van alles te herinneren.

Opa en oma, de hemel, de hel, papa...

Had ze papa gezien of niet?

De school, een schim, de hel...

Opeens een stroom van herinneringen.

'Hoelang was ik bewusteloos?'

'Niet lang,' antwoordde Koen.

'Hoogstens een minuut.'

Kon je in zo korte tijd zoveel beleven?

Ze liepen verder.

'Geloof jij in de hemel?' vroeg ze opeens.

'En in de hel?'

'Nee,' antwoordde Koen.

'Mijn ouders zeggen dat het verzinsels zijn.'

Sil zei niets.

Ze probeerde zich te herinneren

wat ze in die paar minuten had beleefd.

Het was net een droom,

een droom die heel ver weg was.

Ze probeerde zich papa te herinneren.

Het lukte niet.

Haar hoofd was een chaos.

Tot de hoek hield Koen zijn mond dicht.

Toen kon hij het niet langer uithouden:

'Morgen hebben we repetitie, Sil.

Weet je al hoe je geld gaat toveren?'

Sil schudde haar hoofd.

'Ik vind het een rot rol.

Ik denk dat ik niet meedoe.'

'Misschien moet je iets verzinnen.

Iets heel geks.'

Sil gaf niet meteen antwoord.

Ze had opeens een rare gedachte:

misschien kan Koen me helpen.

Het was onzin.

Koen wist niets van goochelen af.

En toch…

Voor haar huis bleef ze staan.

Ze wilde het niet vragen, toch deed ze het:

'Wil je papa's goochelkast zien?'

'Ja!'

Ze haalde de sleutel uit haar zak

en deed de voordeur open.

Mama zat al klaar in haar stoel.

Op tafel stonden twee bordjes

met boterhammen.

'Dit is Koen,' ratelde Sil,

'ik moet hem even wat laten zien van papa.'

'O,' zei haar moeder.

Ze keek of ze het niet begreep.

Nog nooit was er een vreemde

in papa's kamer geweest.

Langzaam duwde ze de deur open.

Ze wilde dit allemaal niet,

maar het was of ze niet anders kon.

Tegen de muur stond de goochelkast.

De zwartgelakte deuren glansden.

De sleutel stak uit het slot.

Hij mag de deur niet openmaken, dacht Sil.

Hij mag niet aan papa's geheimen komen.

Als hij één hand uitsteekt...

Koen keek niet naar de kast.

Hij keek naar het goochelkostuum

met de vele geheime zakjes.

Mijn werkpak, noemde papa het.

De cape lag nog steeds op de grond.

Koen wilde hem oprapen.

'Nee,' riep ze, 'dat doe ik straks wel.'

'Ik heb iets bedacht,' zei Koen opeens,

'in het toneelstuk moet je geen geld toveren,

je moet het goochelen.

In een goochelaarspak,

net als je vader.

Dan wordt het veel echter.'

'Maar papa's pak is me veel te groot!'

'Eén van de moeders maakt het wel na.

Je moet het doen, Sil.

Echt waar.'

Sil zei niets.

Ze wist het zelf niet.

22

'We gaan het stuk repeteren,' zei juf.

'We moeten ons een beetje haasten,

want we hebben echt niet zo veel tijd meer.

Alle klassen doen een toneelstukje,

we moeten dus goed ons best doen.

We willen niet voor gek staan.'

Sil had het benauwd.

Ze had die nacht gedroomd van de grote avond.

De ouders zaten in de zaal en keken naar haar.

Ze stond alleen op het toneel.

Ze moest wat zeggen, maar ze wist niet wat.

Juf stond aan de zijkant en zei haar voor.

Sil verstond er niets van.

Juf maakte gebaren,

maar Sil snapte niet wat ze bedoelde.

Sil wist niet wat ze doen moest.

Het zweet brak haar uit.

Radeloos keek ze de zaal in.

Opeens vlogen er pijltjes door de zaal.

Juf kreeg er een in haar wang.

Ze zat onder het bloed.

Sil rende weg.

Toen werd ze gelukkig wakker.

Juf las het stuk nog eens voor.

Sil luisterde niet.

Ze keek naar haar vingers.

Die gingen langzaam op en neer,

op en neer, op en neer.

'Let je even op, Sil?'

Ze ging snel rechtop zitten.

Ze keek naar juf.

Er zat een rare vlek op haar wang.

Net gedroogd bloed.

'Na schooltijd niet meteen naar huis,' zei juf.

'Dan komen de kostuummoeders de maat nemen.

Jij bent een tovenaar, Sil.

Wat heeft die aan?'

'Een cape, juf.'

'En je moet natuurlijk een puntmuts op.

Kan jouw moeder die maken?'

'Mijn moeder is steeds zo moe.'

De klas lachte haar gelukkig niet uit.

En juf zei: 'Ja, ja natuurlijk.'

Daarna praatte ze met Esther.

Die wist precies hoe een monster eruitzag.

Alle kinderen kwamen aan de beurt.

Het duurde heel lang.

Eindelijk konden ze naar de gymzaal.

'En graag rustig,' zei juf.

'We zijn geen kleuters meer.'

In de gymzaal was het een rommeltje.

Er stonden kale houten schotten.

Een schot met ramen erin en een deur.

'Dat wordt het paleis.

Renates vader komt het overmorgen verven.

Die ronde plank daar is een luik.

Die komt op het gat in de vloer

waar de tovenaar uit komt.

We gaan beginnen.

Tot de pauze kunnen we repeteren.'

Juf vertelde opnieuw het verhaal.

Daarna moesten ze het spelen.

Ze mochten zelf de woorden verzinnen.

Marcel deed het geweldig goed.

Hij was een echte koning!

Hij sprak heel deftig

en hij zat op zijn stoel alsof het een troon was.

Mijke zag er wel uit als een prinses,
maar ze wist niet wat ze zeggen moest.
Ze was voortdurend aan het giechelen.
Esther was helemaal geen eng monster.
Ze speelde sloom en houterig, maar juf zei niets.
Na Esther moest Sil.
'De tovenaar doet het luik open
en komt te voorschijn,' zei juf.
Sil deed alsof.
Ze voelde dat Koen naar haar keek.
Ze liep naar hem toe.
'Nu geld toveren,' zei juf.
Sil dacht aan papa.
Ze probeerde hem precies na te doen.
Ze stak haar handen in haar mouwen.
Ze wiegde langzaam heen en weer.
Net als papa vroeger.
Iedereen keek naar haar,
maar ze vond het niet erg.
Het was zelfs leuk.
Ze deed drie stappen naar voren
en twee passen opzij.
Ze stond nu vlak bij Koen.
Ze trok haar handen uit haar mouwen

en maakte vreemde, spookachtige bewegingen.

Koen zette grote ogen op.

Alsof hij er niets van begreep.

Nu keken ze allemaal naar Koen.

Opeens stak hij zijn vuist naar voren,

deed hem langzaam open

en hield een euro in de lucht.

Even was het doodstil.

Toen riepen ze allemaal: 'Nu bij mij! Bij mij!'

Sil schudde haar hoofd en het werd weer stil.

'Hoe heb je dat gedaan?' vroeg juf.

'Dat is geheim!' riep Koen.

'Je had hem in je mouw,' riep Esther.

'Ik heb het zelf gezien!'

'Nog eens! Nog eens!'

Sil deed het nog een keer.

Koen kreeg weer een euro.

'Dat is dezelfde!' schreeuwde Marcel.

'Zo kan ik het ook!'

'Nee hoor,' zei Koen,

'ik heb er nu twee. Kijk maar.'

Ze werden stil van verbazing.

Tot Joris zei: 'Ik geloof er niks van.

Het is allemaal bedrog.

Sil had die euro in haar mouw.'

'Ze had hem in haar hand,' zei Esther.

'Het is een opvouwbare euro!'

Koen proestte en kreeg de slappe lach.

'Hoe doe je dat?' vroeg juf ten slotte.

'Ik heb goed gekeken, maar ik snap er niets van.'

'Ik heb helemaal niets gedaan, juf,' zei Sil.

'Koen had twee euro meegenomen.

Hij had er in elke hand één.'

'Je bent een geboren goochelaar,' zei juf.

'Ik ben er echt ingevlogen.

Dat heb je goed gedaan, zeg. Prachtig.'

'Wat gebeurt er met het monster, juf?'

'Wie kan het raden?'

De vingers vlogen omhoog.

Juf gaf iedereen een beurt,

maar niemand wist het goede antwoord.

'Ik zal het verklappen,' zei juf.

'De tovenaar gooit het monster in de put

en het komt nooit meer terug.'

Esther moest verschrikkelijk lachen.

'Als je me te hard gooit, ga ik slaan, Sil.'

Sil wist niet wat ze zeggen moest.

Haar hoofd was helemaal leeg.

23

Ze hadden elke dag gerepeteerd.

Het stuk ging steeds beter.

'Ik ben erg tevreden,' zei juf.

'Mogen we dan je tatoe zien?' vroeg Joris.

De hele klas lachte.

'Pas na de uitvoering,' zei juf.

'En alleen als jullie goed gespeeld hebben.

Dat hadden we afgesproken.

Of niet soms?'

'Ja juf,' antwoordde Thomas,

'ik ben benieuwd hoe groot hij is.'

Joris stikte van het lachen

en Marcel sloeg een roffel op zijn tafelblad.

'Graag even stilte,' vervolgde juf.

'Over het schoolreisje van morgen:

we vertrekken stipt op tijd.

Dus allemaal om acht uur hier.

Wie te laat is, heeft pech gehad.

We zouden naar twee musea gaan,

maar één gaat niet door.'

'Jammer, jammer,' loeide de klas.

Mijke en Renate begonnen luid te huilen.
'Vreselijk!' schreeuwde Renate.
'Eén museum. Maar EEN museum!'
'Kan dat er ook niet af?' gilde Esther.
Juf sloeg haar armen over elkaar.
Zwijgend keek ze de klas in.
Ze waren in twee minuten stil.
'Regenkleding mee,' zei juf.
'Je weet nooit wat voor weer het wordt.'

Als ze aan het schoolreisje dacht,
moest ze aan papa denken.
Ze kon zich niet voorstellen dat hij weg was,
zo dood,
dat hij nergens meer zou zijn.
Op straat keek ze steeds naar hem uit.
Soms meende ze hem te zien,
maar het was altijd iemand anders.
Meestal iemand, die niet eens op hem leek.
Ze had het gevoel dat hij nog ergens moest zijn,
dat ze hem ineens zou zien.

Het werd prachtig weer.
Het was al warm voor ze vertrokken.

95

Er waren weinig moeders en vaders
om hen uit te zwaaien.
De meesten moesten werken.
Sil was alleen naar de bus gegaan.
Mama wilde haar wegbrengen,
maar Sil wilde niet.
Ze wist zelf niet waarom.

In de bus werd het een chaos.
Ze wilden allemaal vooraan.
Renate en Koen wilden allebei naast Sil.
Koen duwde haar opzij.
'Ik was eerst,' gilde Renate.
'Niet waar,' schreeuwde Koen. 'Ik!'
Hij ging vliegensvlug naast Sil zitten.
'Koen geef Sil een zoen,' gilde de hele klas.
Koen gaf Sil een zoen op haar wang.
'Zo goed?' zei hij. 'Of nog één?'
Sil lachte verlegen.
Vond ze dit leuk?
Of juist niet?
Ze wist het niet,
maar ze was wel blij dat Koen naast haar zat.
De bus begon te rijden.

Zwaaien naar de ouders,
daarna zingen.
Maar het zingen hield gauw op.
Het was er veel te warm voor.
Er werd een heleboel gesnoept
en nog meer geklaagd over misselijkheid.
Juf trok zich er niets van aan.
Ze vertelde over het museum,
over de schilderijen en over de beelden.
Ze zaten verveeld te luisteren,
maar het werd leuker dan ze hadden verwacht.
Ze waren gek van een bewegend mobiel.
Joris ontdekte een machine die lichtjes spuugde.

Mijke en Marcel keken naar een videofilm.

Op het scherm flitsten aldoor mensen voorbij,

zwarte, bruine, witte, lange, dunne en dikke.

Twee mensen doken steeds weer op.

Als je ze goed wilde bekijken,

waren ze al weer weg.

Ten slotte werd er heel lang film-gezoend.

'Het was net echt,' zei Mijke later.

'Hartstikke mooi.'

Er waren veel schilderijen.

Er was een portret bij van een man.

Zijn ogen waren vierkant,

zijn voorhoofd liep uit in een punt

en zijn neus zat onder zijn kin.

Sil vond het prachtig.

Ze begreep niet hoe het kon,

maar het was net haar vader.

Ze bleef ernaar kijken.

Tot juf haar kwam halen.

'We moeten weg, Sil.'

Bij de uitgang stond een stokoude man.

Hij stond naast een winkelwagentje

vol boodschappen.

Juf ging ernaast staan.

Ze sloeg haar arm om zijn schouders.

'Mijn nieuwe vriend,' zei ze.

'Lief, hè?'

'U had toch een kale manke?'

'Dat is uit,' antwoordde juf. 'Ik heb nu deze.'

'Hij is niet eens echt,' zei Esther.

'Het is gewoon een wassen beeld.

Dat is toch geen kunst.'

'Die machine ook niet,' zei Renate.

'En die hoop stenen helemaal niet.'

'Die vond ik nou juist zo mooi,' zei Koen.

Ze stonden alweer buiten.

De bus in.

'Naar de speeltuin,' zei juf.

'Boe!' riep de hele bus.

'We zijn toch geen kleuters, juf.'

Het was een leuke speeltuin.

Met schommels, een kronkelige glijbaan,

klimrekken en een sprintbaan.

Marcel liep het hardst van allemaal.

Maar hij kon niet op tegen juf.

Die bleef meters voor.

Op het eind was ze niet eens buiten adem.

Echt een kampioen!

24

De kleren waren klaar.

Voor Marcel een gouden koningsmantel,

voor Esther een zwart pak met rode draken

en voor Sil een ouderwetse pandjesjas

met een lange zwarte cape.

'Je kunt er je zwarte spijkerbroek bij aan,' zei juf.

'Dat ziet niemand.

En natuurlijk een witte bloes met een strikje.

Zo hoort het.'

Sil wist het.

Zo zag het pak van papa er uit.

Meestal had hij er een rood strikje bij aan.

Ze had het hem vaak zien dragen.

Na schooltijd ging ze meteen naar huis.

Mama was naar de dokter.

Op tafel stond een glas limonade.

Met een briefje erbovenop:

'Ben om vijf uur thuis, schat,

een dikke zoen, mama.'

Sil ging aan tafel zitten.

Zou ze naar papa's kamer gaan
en zijn rode strikje zoeken?
Ze luisterde.
Het was stil in huis, griezelig stil.
Net of er iets engs ging gebeuren.
Toch stond ze op.
Ze luisterde.
Een holle, lege stilte.
Langzaam liep ze de kamer uit,
de gang door, voetje voor voetje.
Bij papa's kamerdeur bleef ze staan.
Ze haalde heel diep adem
en ging naar binnen.
De kamer was zoals altijd.
Tegen de muur stond de goochelkast,
ernaast de standaard met kleren.
Sil kreeg het opeens koud.
Haar armen en benen prikten.
Overal kippenvel.
De cape hing weer over het pak.
Had mama hem opgehangen?
Dat moest wel.
De cape kon toch niet uit zichzelf...
Ik moet niet bang worden, dacht ze.

NIET BANG ZIJN.

Ze wist dat de strikjes in de muurkast lagen.

Toch deed ze de deur van de goochelkast open.

In een gleuf stond de zwarte stok

met de zilveren knop.

Als papa een voorstelling voor kinderen gaf,

had hij het over zijn toverstaf.

'Die kan alles,' zei hij erbij.

'Een toverstaf is net een goochelaar.'

Opeens had Sil het gevoel dat papa haar hielp.

Ze wist niet hoe het kon,

maar het was of hij vlak bij haar was.

Het was een prettig gevoel.

Ze hief de stok op,

een beetje schuin,

precies zoals papa deed.

Ze drukte.

Een klik.

De stok werd twee keer zo lang.

Dat hadden de kinderen altijd prachtig gevonden.

Ze zaten roerloos op het puntje van hun stoel.

Vooral als papa duifjes uit zijn hoge hoed toverde.

De hoge hoed!

Hij lag op het zwarte tafeltje.

Ze zette hem op.

Hij was veel te groot.

Hij zakte langzaam over haar voorhoofd.

De rode pruik!

Als ze die opzette...

Het was of de toverstaf haar naar de kast voerde.

De pruik lag op de derde plank.

Ze zette hem op.

Nu paste de hoed wel.

Aarzelend, een beetje bang,

sloeg ze de cape om.

Langzaam liep ze door de kamer.

Bij de goochelkast bleef ze staan.

Ze maakte een buiging en nam haar hoed af.

De dubbele bodem, dacht ze.

Ik moet de dubbele bodem vinden.

Daar kwamen de duifjes,

de konijntjes of de vlaggetjes uit.

Opeens was ze niet bang meer.

Ik ga niet toveren, dacht ze.

Ik ga goochelen.

Net als papa!

25

Koen, Esther, Mijke en Marcel stonden
op het toneel.

Mijke keek door een kier tussen de gordijnen.

De zaal zat vol vaders en moeders.

Ze zaten druk te praten.

Sil draaide zich om en keek naar het decor.

Het was een prachtig paleis geworden.

Of het van stenen gebouwd was.

Dat hadden de vaders knap gedaan.

Ze haalde de hoed van haar hoofd,

hief haar toverstok en boog.

Zo moest ze beginnen.

Zo deed papa het ook altijd.

'Sil,' riep Koen. 'Ik zie je moeder!'

Sil keek de zaal in.

Mama zat achter in de zaal.

Ze praatte met de moeder van Esther.

'Zie je mijn moeder ook?' riep Renate.

'Ik wil ook kijken.'

'Te laat,' zei juf. 'Allemaal wegwezen.

De kleuters gaan beginnen.'

Snel dromden ze naar achteren.

Het stuk van de kleuters duurde niet lang,
maar het was erg leuk.

De ouders hielden niet op met klappen.

Na de kleuters kwam de onderbouw.

Daarna hun groep.

Mijke moest van de zenuwen naar de wc.

Toen ze eraf kwam moest ze weer.

En daarna weer.

Marcel maakte kleine sprongetjes.

Hij kon niet stilstaan.

Sil stond stokstijf in een hoekje.

Ze repeteerde wat ze doen moest:

hoed af, stok omhoog, buigen.

Koen kwam naast haar staan.

'Je bent toch niet bang?' fluisterde hij.

'Het gaat vast goed.'

Sil rilde.

Koen kneep in haar arm.

'Spannend, hè?'

'Ja,' zei Sil.

Het klonk een beetje bits,
heel anders dan ze bedoelde.

Maar ze kon niets meer tegen Koen zeggen.

De meester van groep drie nam haar mee.

Onder het toneel liepen ze naar het luik.

Het was er donker en laag.

Ze moesten allebei bukken.

Vooral de meester,

die met een zaklantaarn voorop liep.

Onder het luik stond een trapje.

'Voorzichtig,' fluisterde meester.

'Val er niet af, Sil.'

Alles ging goed.

Het stuk werd schitterend gespeeld,

of ze het al tien keer gedaan hadden.

Op het laatst kwam Sil aan de beurt.

Ze luisterde naar de tekst van Renate.

Ze wist precies na welk woord ze op moest.

'Nu!'

Sil kreeg een duwtje en klom omhoog.

Opeens stond ze midden in het licht.

Het was zo fel dat ze niets zien kon.

En het was zo warm!

Het zweet brak haar uit.

De kinderen op het toneel keken naar haar.

Sil nam langzaam de hoed van haar hoofd.

Ze schudde hem op en neer.

Ze drukte twee keer tegen de onderkant.

De bankbiljetten vlogen er uit.

Mijke en en Thomas sprongen erop af

en begonnen te graaien,

maar Koen bleef staan waar hij stond.

Hij was vergeten wat hij zeggen moest.

Juf, opzij van het toneel, zei het hem voor.

Hij hoorde haar niet.

Hij stond daar als een standbeeld.

Hij keek naar Sil of hij haar niet zag.

Of hij stekeblind was.

Sil wist niet wat ze doen moest.

Hoe kon ze hem helpen?

Opeens wist ze het.

Ze zette de hoge hoed op de toverstok.

Ze liep op Koen toe.

Ze zwaaide de hoed

voor zijn gezicht heen en weer.

De laatste bankbiljetten

waaierden naar beneden.

Koen keek of hij wakker werd.

'O,' riep hij.

'De tovenaar heeft geld getoverd!'

Het land was gered.

Waar je ook keek, overal bankbiljetten.

Iedereen greep en graaide.

Nu kwam het slot.

Esther was opeens een echt monster geworden.

Ze grijnsde boosaardig.

Ze keek woest om zich heen.

Sil liep langzaam op haar toe,

ze greep haar vast en sleurde haar mee.

Het luik stond open.

Daaronder was de put.

Sil moest haar erin gooien,

maar Esther klemde zich aan haar vast.

Haar handen leken wel klauwen.

Of ze echt een monster was.

In de zaal werd het doodstil.

Sil duwde Esther de put in.

Het gaat goed, dacht ze,

maar Esther begon te gillen.

Sil duwde haar het gat in,

zo ver mogelijk naar beneden.

Tot ze er zelf ook in viel.

Samen met Esther duikelde ze over de grond.

Ze hadden zich niet bezeerd,

maar Esther was helemaal in de war.

Ze hoorden de laatste woorden van het stuk.

Het was goed gegaan!

Opeens had Sil een inval.

'Niks zeggen,' zei ze tegen Esther.

Terwijl de mensen klapten, liep ze snel om,

naar de achterkant van het toneel.

Ze verstopte zich tussen de gordijnen.

Iedereen stond op het toneel voor het applaus.

Juf liep naar het luik.

Ze keek in de put.

Esther zat op de grond.

Juf hielp haar het toneel op.

Er werd heel hard geklapt.

Juf keek nog eens in de put,

maar Sil was er niet.

In de zaal werd het stil.

'Waar is Sil?' vroeg juf.

'Het lijkt wel een verdwijntruc.'

Ze keek om zich heen.

Tegelijk sprong Sil naar voren.

Als een duveltje uit een doosje.

'Waar was je?' vroeg juf verbaasd.

Sil lachte.

Het was precies gegaan zoals ze gehoopt had.

'Dat zeg ik niet,' zei ze.
Een paar mensen begonnen te lachen
en opeens brak er een enorm applaus los.
Voor allemaal.
Ze moesten wel drie keer terugkomen.
Daarna snel naar het kleedhok.
Koen voelde zich diep ongelukkig
'Ik was opeens mijn tekst kwijt, juf.
Ik wist helemaal niks meer.'
'Zoiets heet een black-out,' zei juf.
'Dat gebeurt iedereen wel eens, Koen.
Zelfs beroemde toneelspelers.
Ik schrok pas toen Sil in het gat verdween.
Ik snap niet hoe je er zo gauw uit bent gekomen.
Hoe heb je dat voor elkaar gegoocheld?'
'Tja,' zei Sil geheimzinnig,
'dat is het geheim van de goochelaar.
Maar een goochelaar verklapt zijn geheim niet.
Dat weet ik van mijn vader.'
Juf knikte.
'Bent u tevreden?' vroeg Joris.
'Meer dan,' antwoordde juf.
'Jullie waren geweldig.'
Er steeg een gejuich op.

'Dan mogen we nu uw tatoeage zien,' riep Joris.

'Beloofd is beloofd.'

'Ja,' zei juf, 'dat is waar.'

Marcel stootte Joris aan en fluisterde:

'Zou ze echt haar broek uittrekken?'

Mijke liet van spanning haar mond openstaan

en Thomas liet van opwinding een wind.

'Daar gaat-ie dan,' zei juf.

Ze trok het korte mouwtje

van haar bloes omhoog.

'Daar zit-ie toch niet?' riep Renate.

'Waar anders?'

Op haar bovenarm stond een zwaluw.

Een zwarte zwaluw met gespreide vleugels.

'Ik dacht dat het een arend was,'

mopperde Joris.

'Op uw...'

Hij kon zijn zin niet afmaken.

De deur ging open en er kwam iemand binnen.

Een lange man met blond stekeltjeshaar,

grote blauwe ogen

en twee oorbellen in zijn oor.

'Wat een spetter,' fluisterde Esther,

'wie zou dat zijn?'

'Dat is Koos, mijn vriend,' zei juf.

'Ik denk dat hij ons komt feliciteren.'

'Maar u hebt gezegd dat u een manke had!'
riep Mijke.

'Zo'n ouwe dikke!' schreeuwde Renate.

'Een schele,' zei Marcel.

'Ja,' antwoordde juf. 'Dat was vroeger.
Nu heb ik een ander.'

'Zo hoor ik nog eens wat,' zei Koos.

'Wat sta je daar eigenlijk te doen?'

'Ik laat mijn tatoeage zien,' antwoordde juf.

'Weten jullie wat die zwaluw betekent?

Dat ik overal heen kan vliegen.

Dat ik een vrij mens ben.'

'Als je nu maar niet wegvliegt,' zei Koos.

'Ik heb een doos ijsjes bij me
en die kan ik niet alleen op.'

Er waren allerlei soorten ijsjes.

Koen ruilde met Sil.

'Omdat jij dol op chocola bent,' zei hij,
'en ik op jou.'

26

Mama zat al klaar in haar stoel.

Op tafel stond het blad met de theepot,

twee kopjes, een schaaltje chocola

en veel kleine koekjes in uitdeelzakjes.

Sil kon haar ogen niet geloven.

Ze gooide haar jack op de kapstok,

ging de kamer in en keek naar mama.

Die zag er anders uit dan anders.

Veel liever opeens.

'Hoe was het op school?' vroeg ze.

'Heeft juf het nog over het stuk gehad?'

Sil gaf geen antwoord.

Mama zag er bijna blij uit.

Sil begreep er niets van.

'Ik vond het zo mooi, Sil,' zei mama.

'Toen je gisteravond op dat toneel stond,

was je net papa.

Zoals je je bewoog,

zijn stok vasthield,

zijn hoge hoed afnam,

o Sil, het was net of hij terug was.

Ik voelde me al die maanden alleen,

ik had nergens meer zin in

en nu ik jou gezien heb,

is opeens alles anders.'

'Maar ik ben papa toch niet,' zei Sil.

'Papa is toch in de hemel?'

'Dat wil ik graag geloven,' zei mama,

'want ik wil graag dat hij gelukkig is.

Maar ik weet niet of de hemel wel bestaat.

Ik voel papa nu weer bij me.

Ik weet niet hoe ik het moet uitleggen,

toen ik zag hoe jij op hem lijkt,

voelde ik hem opeens vanbinnen.
Alsof hij weer terug was gekomen.
Vanmorgen, in de supermarkt,
heb ik zelfs met hem gepraat.
Ik vroeg: welke koekjes zou Sil willen
en hij zei...'
'Toch niet hardop?' vroeg Sil.
'Nee natuurlijk niet,
ik ben niet gek.'
Mama begon te lachen.
'Heb je nu geen verdriet meer, mama?'
'Dat wel, maar het is anders.
Ik voel me niet meer zo kaal, zo leeg.
Het was zo'n akelig gevoel, Sil.
Alsof ik zelf niets meer kon.
Alleen klagen en zeuren.
Snap je wat ik bedoel?'
Sil dacht van wel.
Papa was dood en toch leefde hij voort.
In mama, in Sil zelf.
Sil voelde het ook.
Het was of papa tegen haar zei:
'Dat heb ik goed gedaan, hè?'
'Ja,' antwoordde Sil in gedachten.

'Dit is je allermooiste verdwijntruc.

Blijven en er toch niet meer zijn.'

Mama gaf haar een zakje met koekjes.

'Ik ga lekker weer werken

en heel goed voor jou zorgen.'

Sil stond op en liep naar mama.

Ze sloeg haar arm om haar heen.

Het was of alles ineens anders was.

Ze voelde zich heel erg blij en vrij.

Of ze een zwaluw op haar arm had!